劉福春・李怡 主編

民國文學珍稀文獻集成

第四輯

新詩舊集影印叢編　第140冊

【周民鐘卷】

革命花

上海：美的書店 1927 年 9 月 28 日出版

周民鐘 著

飄流

上海：華通書局 1932 年 11 月出版

周民鐘 著

花木蘭文化事業有限公司

國家圖書館出版品預行編目資料

革命花／飄流　周民鐘　著 -- 初版 -- 新北市：花木蘭文化事業有限公司，2023〔民 112〕

98 面／128 面；19×26 公分

（民國文學珍稀文獻集成・第四輯・新詩舊集影印叢編　第 140 冊）

ISBN 978-626-344-144-6（全套：精裝）

831.8　　111021633

ISBN-978-626-344-144-6

9786263441446

民國文學珍稀文獻集成・第四輯・新詩舊集影印叢編（121-160 冊）
第 140 冊

革命花
飄流

著　者　周民鐘
主　編　劉福春、李怡
企　劃　四川大學中國詩歌研究院
　　　　四川大學大文學學派
總 編 輯　杜潔祥
副總編輯　楊嘉樂
編輯主任　許郁翎
編　輯　張雅淋、潘玟靜　美術編輯　陳逸婷
出　版　花木蘭文化事業有限公司
發 行 人　高小娟
聯絡地址　235 新北市中和區中安街七二號十三樓
　　　　電話：02-2923-1455／傳真：02-2923-1452
網　址　http://www.huamulan.tw 信箱 service@huamulans.com
印　刷　普羅文化出版廣告事業
初　版　2023 年 3 月
定　價　第四輯 121-160 冊（精裝）新台幣 100,000 元　

革命花

周民鐘 著
作者生平不詳。

美的書店（上海）一九二七年九月二十八日出版。
原書三十六開。

革命花
周民鐘著
上海
美的書店印
1927 出版

鄞江周民鐘著

革命花新詩集

上海美的書店印

自由

世界上為着你流了許多熱血
世界上為着你擲了許多頭顱

總理遺囑

余致力國民革命凡四十年其目的在求中國之自由平等積四十年之經驗深知欲達到此目的必須喚起民衆及聯合世界上以平等待我之民族共同奮鬥

現在革命尚未成功凡我同志務須依照余所著建國方略建國大綱三民主義及第一次代表大會宣言繼續努力以求貫徹最近主張開國民會議廢除不平等條約尤須於最短時間促其實現是所至囑

民鐘敬錄

深深地灌溉革命的種子

梁紹文題

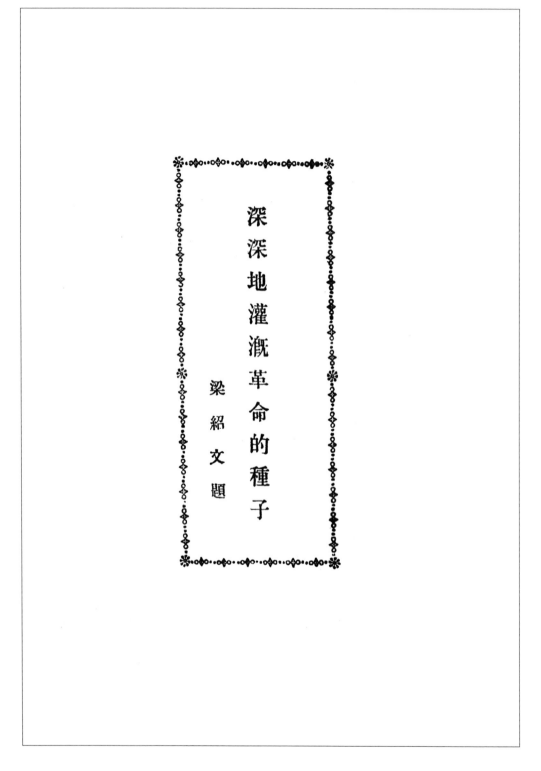

——革命花——

—— 革 命 花 ——

雜錄

秦 序

讀過民鐘這本革命花，覺得悲哀痛切，慷慨淋漓，有蓬蓬勃勃的革命氣象，最時髦，最適合潮流的作品；比較「讚頌虛無」的一般新詩，迥然不同；他的着筆，完全根據革命的事實，並非空中樓閣；把他全部的著作概括來來說：祇有努力奮鬥犧牲忠黨愛國幾個字，可知他是個最革命的青年。

詩的構成，不外情意志三種條件，離開了這條件，不特毫無意義，還不算是詩，毛詩序裏說過，『詩者，志之所之也，在心爲志，發言爲詩，情動於中，而形于言，言之不足，故嗟嘆之，嗟嘆之不足，故永歌之。』我閱民鐘這本革命花以革命爲其出發點，可知革命是他之志，他之志已確定於斯，情意亦由斯而完滿的表現；他是個信仰三民主義者，所有一切舊社會的情形，中國需要革命的意思，都赤裸裸地寫出來，大聲疾呼。盡量的吶喊，如太平洋的怒潮，烏拉山頂的鬼叫，可歌，可泣，句句能惹人心動。

我讀了又讀，讀過之後，知道這本革命花是民鐘做革命事業的結晶；專門鼓起人的勇氣，激動人的感情，挑撥人的心絃，引起人的興趣，緊張人的精神；誰是血痕，誰是淚跡，我不多說，讀者就可知道。

日前我由南京來滬，訪民鐘於黨務訓練所，民鐘將這本革命花授我，很謙讓地請我和他作序，實在他太爲難我了；我是研究政治的人，從未入過詩的門徑，究竟詩的內容怎樣，我看來爲字白紙；但是又不能拂他的意，無奈何地班零弄斧，馬馬虎虎說幾句，未免惹起閱者的笑柄，眞是豈有此理。

笑癡二郎序於上海客次

革命尚未成功

同志仍須努力

孫文題

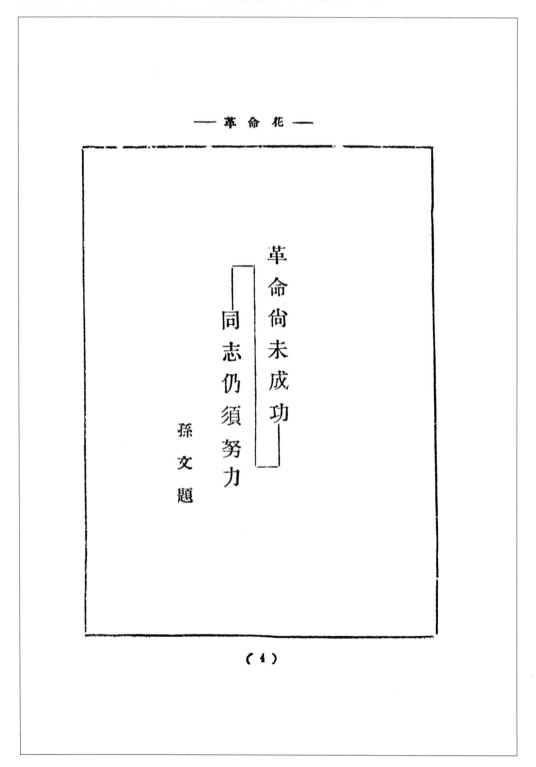

自序

我明知這本詩，要說什麼，就說什麼的，沒有什麼體裁，沒有什麼格式，一定會受人說是不太好的；正是如舊禮教下面的處女一樣，見到男子就面紅耳赤怕羞起來；那末！他祗羨慕新時代的女學生，在萬人叢中去出風頭；但是他的革命性是很富强的，若是他有人領導，他也能做的；不過開始的第一回，他認爲是破天荒，心裏總是跳個不住。

朋友：不瞞你們，這本詩，大半都在廣州福州二處的民國日報及政治工作日刊上發表過；曾受一般同志批評和指正，尤其是林福民學士，前星期由前方回來，從新和我眷政，故我能够公然大胆的，把他付印成本，這是我要多謝一般同志及林福民學士的。

我本來是個軍人，對於文藝，本沒有什麽多大研究，也沒有什麽工夫來研究，隨筆寫來的，完全因爲我的感情衝動，當然沒有什麽工巧；故我希望讀者，不要當作詩讀，可以當作革命的宣傳品來看：同時希望讀者指教，我是十二分加一分的感激。 19.26.9.1.

民鐘于上海黨務所

獻詩

其一

不怕海中猛浪，
不要心內慌張，
你當冒險地前進，
必能覓得安樂之鄉。

其二

遠望那荒城古渡一片淒涼，
憔悴人兒正在那邊望，
快架中山橋，快造中山渡，
引他轉來同走一條路。

其三

看呀！那泯滅良心的獸類，
把人的汗血來沖譏，

把人的骨頭來架屋，

成羣的姨太太供他獸慾的幸福。

其四

二足已踏穩革命觀點，

還要把身心來練，

以大無畏的精神衝來衝去，

把那舊中國來血濺。

民鐘于上海

革命花

民 鐘

我

我不是天才的詩人，
我是唱不平的歌者；
我要喚醒被壓迫同胞，
我要做革命事業，
我要打破不平的一切，
我要造成個極樂國。

告軍人

親愛的武裝同志們：
戴起軍帽，
穿起軍裝，
照照鏡子，
摸摸心窩，
曾做過幾多愛國事業麼？

贈青年軍人

你們是革命的主力軍，

你們是革命的先鋒隊；

不讓終軍的請纓，

不讓班超的遠征。

✣ ✣ ✣ ✣

你們是東亞的健兒，

你們是沙場的戰士；

到處飧風宿露，

到處陷陣攻城。

✣ ✣ ✣ ✣

你們是孫中山先生的信徒，

你們是中國國民黨的健將；

讓我前來拂去你們的塵沙，

讓我前來洗去你們的血漬。

✣ ✣ ✣ ✣

你們拆卸了軍閥的老巢，
你們衝破了列强的虎穴；
不怕障碍的鉄絲欄，
不怕傷人的危險物。

✣ ✣ ✣ ✣

你們是忠誠愛國，
你們是勞苦功高；
我要跟你們去奏歡樂之曲，
我要跟你們去唱凱旋之歌。

✣ ✣ ✣ ✣

一四，六，五，于廣州中山大學。

✣ ✣ ✣ ✣

晚 行

碧穹中燦爛的明星，

照得四處都蕭然！

別了家庭的人們，

來走異域之山巔。

✣ ✣ ✣ ✣

憶起鄞江一帶刦後荒涼，

自然然地悲傷！

我要把害人的獸類剷除，

那有心緒回頭與樵叟話滄桑。

✣ ✣ ✣ ✣

我原來爲革命而奔波，

何怕飡夙宿露的苦勞？

這雙健足要走遍全世界，

願月姊莫來竊笑我。

✣ ✣ ✣ ✣

我的整個心兒，
祗有向那光明路上前進；
腰間帶有三民的武器，
那怕毒害人們的豺狼！

✣ ✣ ✣ ✣

打夜仗

鎗聲停止了，
臥在陣頭上的我，
那容追逐過去的好夢；
殺殺殺的狂風，
如萬馬奔騰千軍號吼。

✣ ✣ ✣ ✣

—— 革 命 花 ——

月姊情厚，
徧徧來照顧我，
似乎愛我來慰勞；
我撫着我親愛的鎗，
身若在浮雲中飄蕩。

✣ ✣ ✣ ✣

月亮西沉的時候，
利用黑虎虎的機會，
就開始夜間動作，
我牽了一條連絡的繩子，
如魚貫串樣匍匐前進。

✣ ✣ ✣ ✣

前進至高地下的密集林中，
乘敵不備猛力衝鋒，

（7）

殺上去佔領了陣地，

還聽得我方射擊，

炮聲隆隆！

——于福建永定之役——

✣ ✣ ✣ ✣

血

鎗口的血，

流透了艸青色的軍衣，

留着吧，

洗去吧！

啊！怎捨得洗去呵！

✣ ✣ ✣ ✣

所有的敵人全數繳械了，

我身上的血亦乾了，

—革 命 花—

我忍着痛俯首看看，

那血斑點點滴滴都還在呵！

✣ ✣ ✣ ✣

革命要流血，

不流血革命不會成功？

所以我這次的流血，

我也自慶我的光榮。

✣ ✣ ✣ ✣

傷口雖好了，

這血衣怎捨得洗去，

我留起做紀念，

我要寄回我的母親看看去。

——于廣東松口之役——

✣ ✣ ✣ ✣

（9）

弔鎮江陣亡烈士

烈士呀！烈士,,

你們殺得孫逆魂飛，

你們殺得鬍匪胆亡；

不特消滅了七萬之衆，

還驚得帝國主義心慌。

✣ ✣ ✣ ✣

烈士呀！烈士：

你們的志願要自由，

你們的心理愛和平；

但人世間的革命未成功，

竟追隨總理去革閻羅。

✣ ✣ ✣ ✣

烈士呀！烈士,,

你們爲的愛民心切，

你們爲的愛國情深；

成仁取義的榮標，

竟被你們爭先奪去平分了！

✣ ✣ ✣ ✣

烈士呀！烈士：

你們的尸橫遍野，

你們的血流成河；

我帶了一乾糧袋的熱淚，

送到陣上對各位表示慰勞。

✣ ✣ ✣ ✣

奮 鬥

看呀！

左有耽耽在覷的餓虎，

—— 革 命 花 ——

右有舞爪張牙的饑狼，
前後的道上布滿刺人的荊棘：
可憐我們生在這時，
命運是如何的惡劣呵！

✣ ✣ ✣ ✣

朋友，，若被萬惡交攻而死，
不如和他奮鬥而生，
旣有强大的魄力，
旣有堅忍的精神，
揮那鋒不可當的矛，
斬除四面潛伏的妖精。

✣ ✣ ✣ ✣

現已有個時期來臨，
要把受的寃屈來伸，

——革命花——

半空中有個神正在叫，「指孫中山」
奮鬥呀！
奮鬥呀！
奮鬥的時期不可錯過呀！！
要奮鬥到中國自由平等呀！！！

✣　✣　✣　✣

革命的空氣雖瀰滿青年的腦殼，
反革命的空氣亦緊緊地澎漲；
當築固我們的戰壘，
當決心醉臥在沙場！
短刀荷在腰際，
長槍放在肩膀上，
砍盡反革命的頭，
丟在苦海中飄蕩。

(18)

海潮

浩浩蕩蕩的海潮呀！
川流不息的海潮呀！
勇敢前進能鼓起我一切，
潔白有光能使人廉潔，
你能洗清世界的汚點，
你能淹死世界的惡魔。

海潮呀！海潮，
你趕快的高漲起來，
你趕快送慈航過來，
受舊社會束縛的姑娘
正盼望你救他；

受軍閥摧殘的人民，

正盼望你救他；

事急了，

望你快發救苦救難的心腸。

✣ ✣ ✣ ✣

我的戀愛

普通人的戀愛是姑娘，

我的戀愛是步鎗，

眷眷戀戀，朝夕不離，

我的靈魂寄給她，

我的生命付托她；

夜間睡覺時，

摟抱在懷中；

和她接吻時

低聲說聲愛……呀！

✣ ✣ ✣ ✣

她能和我同患難，
她能和我共心腸；
我能愛國，
她亦能愛國，
我能保民，
她亦能保民，
我能衝鋒前進，
她亦能衝鋒前進，
比較以金錢發生戀愛的姑娘，
人格高尙萬倍！

✣ ✣ ✣ ✣

一顆石頭

——革 命 花——

石頭，石頭，
你又堅貞又頑固，
我欽佩你的堅貞，
我討厭你的頑固。

✣ ✣ ✣ ✣

不管你的堅貞，
因討厭了你的頑固，
我要拿起鐵鎚來打碎你，
我要拿畢生之力來打碎你。

✣ ✣ ✣ ✣

不怕風，不怕雨，
不怕刀鎗來害你，
我來獻我的本領，
就來下定決心來打碎你。

✣ ✣ ✣ ✣

你當我落力落力的鉄鎚，

不知有多少下了，

你還頑固不軟化嗎？

你果堅貞的精神。

✣ ✣ ✣ ✣

你是頑固的石頭，

我是革命的青年，

無論你的怎樣好的精神，

我總要勝過你。

✣ ✣ ✣ ✣

我原來是愛你，

因爲你障碍我的跑馬路，

使我不能吊起馬頭，

走遍全中國去救人民呵！

✣ ✣ ✣ ✣

揚州遭難之一般

聯軍來到了，

走，走，走，走！

聯軍來拉夫了，

走，走，走，走！

✣ ✣ ✣ ✣

走呀！走呀！

左邊的鎗聲響了，

你看，正在那邊搶東西，

走呀！走呀！

✣ ✣ ✣ ✣

走呀！快點走呀！！

—— 革命花 ——

聞說幾個丘八捉姑娘强姦，
老公公嘗了牠的老拳，
前面村莊裏又發出火煙。

✣ ✣ ✣ ✣

碗碟都被牠打得粉碎，
其餘貴重東西不消說：
即女子水褲子，
牠要要拿去了。

✣ ✣ ✣ ✣

好了，救星到了，
請你一同止步罷！
高山上飄揚着靑天白日旗，
是革命軍衝鋒過去了。

✣ ✣ ✣ ✣

果然英勇的革命軍，

殺得聯軍片甲不存，

戰壕內被機關鎗射死的，

想是成千成萬呵！

✣ ✣ ✣ ✣

這次聯軍敗北死得多，

就是姦淫擄掠的報應呵！

大家起來起來，

起來再消滅漏網的豺狼。

✣ ✣ ✣ ✣

思念志光

志光呀！

親愛的志光呀！

我和你分別一年多了，

自分別以來，
未曾通過一回信，
你在校生活如何，
我何曾知道；
你畢業後派往何部隊，
我何曾知道；
你曾否被ＣＰ欺騙，
我何曾知道；
湖北汀泗橋之役，
聞說你開去衝鋒過，
說是帶了四處花，
是眞還是假，
我亦何曾知道；
一年來你的情形，

我一切何曾知道；

唉！我委實難過，

唉！我委實難過。

✣ ✣ ✣ ✣

望 海

一望無涯的海，

數艘似覆的孤舟飄蕩，

將出未出的陽光，

影成五彩波浪。

✣ ✣ ✣ ✣

岸上孤立的一個亡命軍人，

對着海出神，

對着海凝望，

想投入海中洗掉塵垢呵！

✣ ✣ ✣ ✣

他站在一座古石傍，
慷慨悲歌，
似有無限的傷心史，
唉！有誰可憐呵！

✣ ✣ ✣ ✣

他是個担心國事的革命者，
他的工具抱不平，
他想收回海市唇樓的租界，
望你熱潮漲高些幫助他呵！

✣ ✣ ✣ ✣

將來的工人

革命成功了，
資本節制了，

——革 命 花——

壓迫工人的廠主沒有了，
機器收歸國有了，
民生主義實行了，
丐包問題解決了，
今日工作做完了，
歸，歸歸歸。

✣ ✣ ✣ ✣

莫忘當日的工友們，
荷槍負彈與敵拚，
實顱擲地已堆山，
頭血淋璃已成河，
殺殺殺時唱的歌，
　工作八小時，
　休息八小時，

（25）

　敎育八小時，
我們要記着牢牢。

✤　✤　✤　✤

歸，歸來去玩耍，
歸到中山公園去玩耍，
弔鞦韆，
拍皮球，
唱個勞工神聖歌，
你唱我和，
其樂如何。

✤　✤　✤　✤

惱

不知什麽大塊兒，
堆在我胸中，

——革 命 花——

行也不自然，
坐也不自然，
睡覺也不自然，
食飯也不自然，
他的魔力甚大，
什麼好漢都被他屈服；
他是萬惡的罪人，
他是我們的公敵，
我們要磨鋒拳，擦利掌，
去和他拚一拚，
同志們：互助互助，
共同滅消這公敵。

初 秋 早 上

(27)

——革命花——

由東窗偷進來的微弱陽光，
照在我的床沿上，
吹來如許好學的風兒，
亂翻我愛讀的新詩。

✣ ✣ ✣ ✣

樓外密集林中的小鳥，
咕嚕咕嚕相問答，
還奏特別好聽的音樂，
想是正開舞踏會呵！

✣ ✣ ✣ ✣

半眠不睡的我，
曾做衝鋒喚殺的驚駭夢，
無情的起床鐘響了，
把我夢中一切冲散了。

✣ ✣ ✣ ✣

起來走出太平門，

仰視畫不如的天色，

俯瞰裊娜的楊柳，

自然界的美使我不能形容。

✣ ✣ ✣ ✣

——九月三日作于上海——

✣ ✣ ✣ ✣

我的過去

憶起過去的二十年，

渾渾噩噩那知天；

寶貴的光陰隨那流水過去了，

我祇羞無顏面淚漣漣！

✣ ✣ ✣ ✣

過去的是一場滑稽春夢，
欲追求無可追求的；
惟有在這革命的過程中；
容熱烈的感情任意地衝動。

✣ ✣ ✣ ✣

着了急的心頭火，
不知要燃燒到幾時；
于今國事更蜩螗，
幾乎弄得我要發狂！

✣ ✣ ✣ ✣

有人問起我過去如何？
實在曾受過幾番折磨！
人格幾次墜地了，
到現在還未跳出萬劫的網羅！

✣ ✣ ✣ ✣

夢歸故鄉

昨夢騎了疾風歸我故鄉，

見秉鈞徘徊那艸坪上，

大哥說聲你回來了，

媽媽問起我在何處鎗傷！

✣ ✣ ✣

又見我幼時養的綠林鳥，

還在竹籠內亂跳；

成羣的小孩兒問我要餅乾，

探囊先給那小小。

✣ ✣ ✣ ✣

對面石岩窩的清泉聲，

依舊似俞伯牙的琴響，

別了六七年的老家鄉，

似乎沒有換過新氣象。

✣ ✣ ✣ ✣

老老少少的男女們，

圍坐一起聽我別後的佳話，

聽到打仗的危險處，

各人都表示一種很怕。

✣ ✣ ✣ ✣

夜深時的黨務學校

半明不滅電光底下，

眠着四五百個革命青年

袋子裏個個藏了一包三民主義的種子，

差不多要到民間去散布，

並且還預備一副熱血去灌漑。

✤ ✤ ✤ ✤

送君行

你是個頂天立地的奇男子，

切莫辜負少年時，

你快去挑起救國救民的担子，

前途的事何可限量呢？

✤ ✤ ✤ ✤

你去罷！

你放下心不要回顧罷！

你的心我的心，

海枯石爛此志不渝。

✤ ✤ ✤ ✤

大丈夫志在四方，

我祇有望你丟開一切，

莫拿整個心兒來掛念我，

你當勇敢地向前呵！

✣ ✣ ✣ ✣

你看中國的同胞，

個個都皺頭爛額；

願你愛我的心，

分半去愛中國的同胞。

✣ ✣ ✣ ✣

今日惺惺的惜別，

將來我雀躍的歡迎；

雖然一別離隔千萬里，

但是我倆的心還集合在一起。

✣ ✣ ✣ ✣

最後的一句，

—— 革 命 花 ——

望你永遠不要忘記我們的黨，
永遠不要忘記這弱小的國家；
再望你的思想建築人民利益上。

❖ ❖ ❖ ❖

要別離別，
還有什麽留戀呢？
和你拭乾了離別淚，
望你慷慨登程吧！

❖ ❖ ❖ ❖

唉！既然你還不得我，
我和你再接一個吻，
這個吻含了深刻的意義，
望你努力奮鬥方不辜負呵！

❖ ❖ ❖ ❖

（ 35 ）

弔玉梅

玉梅,,你是個多情的女兒
你愛飄泊的汪中,
果是個難得的,
生在專制的家庭,
使你倆不能完成白頭之約,
讀你是血是淚的絕命書,
我亦洒下幾行同情淚!

✣ ✣ ✣ ✣

玉梅,,你今死了,
汪中亦在前年東征飲彈而死了,
你倆的戀愛亦告勝利了,
在黃泉路上相逢時,
攜手呀!

痛哭呀！

花前月下欲如何便如何了！

✣　✣　✣　✣

孤苦的小夫妻

看那對孤苦零丁的可憐蟲，

早晚無停地哭得人心痛；

人兒那樣憔悴，

差不多會被憤墓吞入甕。

✣　✣　✣　✣

丐者

眞可憐的乞丐兒，

流落江湖家何處，

哎喲！哎喲！嗟來食，

沿着街頭去叫苦。

✣ ✣ ✣ ✣

人力車夫

車輪翻翻轉，

汗水滾滾流，

多謝老爺們加我幾個片，

今日牛馬生活復何憂。

✣ ✣ ✣ ✣

我要

我要握你的手，

我要摸你的胸，

我要同你並行，

我要同你並坐，

我要就要，

舊禮教算得什麼？

✣ ✣ ✣ ✣

我要化蝴蝶，

我要去採自由花，

我要變齊天大聖，

我要盡除食人心肝的妖精，

我要就要，

惡社會算得什麽？

✣ ✣ ✣ ✣

送同學歸去

二次送你們到嵩山丸，

喃喃欲語情何戀

見面幾天又離別，

又不知見待何年。

✣ ✣ ✣ ✣

你們都歸去了，
我究竟還有什麽纏綿，
若今我也歸去，
恐與我有生命相連！

✣ ✣ ✣ ✣

秋水流個不停，
秋風吹個不住，
看那茫茫的前途，
誰是我的歸路。

✣ ✣ ✣ ✣

說起如此的局面，
已憤發我的心頭火，
我要燃燒欺凌人的人，
剩下同病相憐的你們與我。

✣　✣　✣　✣

陰

隨着山麓橫飛的雲烟，

惹得千愁萬想繞我心園；

微寒的春風，

吹得花兒帶淚未乾。

✣　✣　✣　✣

天呀！你還想落雨嗎？

你何不順人意；

鳥兒正不停口樣罵你，

馬路上仍泥滑不能去。

✣　✣　✣　✣

近因雨水連綿，

西湖公園的遊客絕跡了；

天呀！快點晴開，

容人去招被雨打死的花魂。

✣ ✣ ✣ ✣

我不耐煩地欲飛上低矮天際，

戰勝一切陰霾，

揭開濛蔽青天的黑幕，

尋着那光華燦爛的白日。

✣ ✣ ✣ ✣

半淞園

進了半淞園，

覺得有天然的無窮興趣，

我躲在假山上濃且烏的樹叢中，

看那可愛的花兒，

荷池裏的泛外鴛鴦，

似乎對我隻影單形的來嘲笑。

✣ ✣ ✣ ✣

活潑可愛的一夥兒童，

競走的亦有

唱歌的亦有，

拍皮球的亦有，

圍坐一起喃喃談話的亦有，

我呢？只聽得鹿兒叫鳥兒啼。

✣ ✣ ✣ ✣

遊客漸漸稀少了，

月兎漸漸東升了，

混在花叢中的含羞艸，

對着我來乞憐，

似乎受了很大的打擊呵！

✣ ✣ ✣ ✣

不知誰家的女兒，

還在綠林中唱着瀟湘曲，

嬌嫩的聲音，

半聾不啞的八十公公，

都聽得清清楚楚。

✣ ✣ ✣ ✣

禱告

不是基督徒的我，

今天我要虔誠禱告上帝，

上帝呀！

天眞爛熳的仙子，

願你赤裸裸的送過來，

我要摟抱在懷中來接吻，

我要摸他柔膩的酥胸，

得些奮鬥倦時的安慰。

✣ ✣ ✣ ✣

送 別

莫愁亭到了，

她緊緊地握住他的手，

欲傾筐她的痛心事，

但是這時呢？

祇有四目相射，

千頭萬緒不知從何處說起，

默默無言了一會，

最後含着眼淚說了一聲長途珍重。

✣ ✣ ✣ ✣

他騎了驢子，

沿山麓路上珊珊而去，
孤立梅樹底下呆望的她，
望到他的影子由髣髴而模糊，
曾低下了頭，
自悲自的身世。

✣ ✣ ✣ ✣

悶

她在書案前獨自悶坐着，
秋波似的眼睛，
流下幾點熱淚，
不解人意的鳥兒，
偏偏唱得特別好聽，
是嘲笑還是安慰，
她總不理會，

——革 命 花——

拿了一張美麗的信箋，

寫了無數相思字。

✣ ✣ ✣ ✣

她對鏡顧影自憐，

有時低下頭去凝思，

有時把蓬鬆似的髻兒梳，

有時長嘆一聲口氣，

有不能流露於字裏行間的傷心。

✣ ✣ ✣ ✣

她愛讀的是紅樓夢，

她愛看的是他的照片，

有時她和他接吻，

有時她和他談話，

她對他出神，

(47)

他總不留意，

她悶得欲死。

✣ ✣ ✣ ✣

她到死不忘的，

是鎗林彈雨中的他，

她的靈魂跟他衝鋒去，

她想臨別時撫頸垂淚的況狀，

她又嗚嗚咽咽哭起來了。

✣ ✣ ✣ ✣

偶 題

矚目舊社會無底的深淵，

必生恐怖而戰慄，

但是醉心自由的熱情衝動，

那能顧及其他的一切，

—— 革 命 花 ——

朋友，，我能肯爲革命而死呵！

✣ ✣ ✣ ✣

再想到處在淫猥不堪的人，

會浪費許多寶貴之生命力，

他的命運如過奈河橋，

看那舊社會無底的深淵，

必生恐怖而戰慄。

✣ ✣ ✣ ✣

代鉄英送影霞

妹妹：酒未冷燭未殘請你痛飲這一

盃！

祝你順風破浪到了申江去，

努力革命視死如歸；

別時容易見時難，

（ 49 ）

千金一刻只此一回；
從此後，伯勞飛燕各自飛。

✣ ✣ ✣ ✣

妹妹,,東方稍白請你痛飲這一盃！
你唱驪歌飄然去，
只留下夜深人靜我在月下徘徊；
世事茫茫說不了，
喝完上樓頭去看早霞飛；
從此後，海枯石爛莫忘這條情尾。

✣ ✣ ✣ ✣

妹妹,,我當陪你痛飲苦過黃連的這
　一盃！
我料你留戀難捨的，
屋外挑花正芳菲；

殘枝上的啼鵑，

叫得我的心悲；

從此後，個郎臥病有誰睇。

✣ ✣ ✣ ✣

妹妹：船笛鳴了請你痛飲最後這一盃！

半年聚首一旦分離，

惹我流下幾許英雄淚；

剩下瘦骨如柴的我，

夢寐間祗盼望你回；

從此後，各養雙傳書鴻使得消息輪迴。

✣ ✣ ✣ ✣

于今年三月脫稿在閩垣望月樓

✣ ✣ ✣ ✣

送春

春呀！你竟匆匆而去，

你竟捨艷冶可愛的百花而去，

不回顧嗎？

不掛念嗎？

蝴蝶兒氣得欲死，

你眞是無情，

你眞是太無情，

溪邊的裊娜楊柳，

依依不捨，

你聽罷！枝頭的烏鴉罵個你不休。

✣ ✣ ✣ ✣

流水本是無情，

落花何嘗有意，

用不着向伊催歸，

也不須挽伊留住，

休𢥞，休𢥞，

生怕簾外春風，

又惹得人兒憔悴。

✣ ✣ ✣ ✣

寄鉄英

我們生在這時，

譬如大海中之一葉孤舟，

兇赫赫的猛浪，

幾欲捲入鯨魚之口，

唉！是多麼的危險呵！

我們處在這惡劣的環境，

更要鼓起我們的精神，

勇敢地向那目標前進，

努力呀！努力呀！

自然能出迷津而登彼岸。

✣ ✣ ✣ ✣

戰 場

無意中走進了一座荒岡，

看去滿目淒涼，

蟲聲唧唧，

鬼哭神號，

西方斜掛着黯淡陽光，

髣髴是戰場。

✣ ✣ ✣ ✣

放 下 酒 杯

放下葡萄美酒杯，

莫效無愁者的癡醉，

大敵當前，

快把長袍來撕碎，

武裝起來，

拿住賣國軍閥來問罪。

✣ ✣ ✣ ✣

法國公園

一羣一羣的西孩，歌…耍…跳…舞

，

一般冷血的青年看見，

十二分的羨慕，

若是革命者呢？

只有痛恨，

痛恨呵！

痛恨帝國主義掠奪這塊土，

叫那的兒童安得在那裏歡歌喜舞。

✣ ✣ ✣ ✣

站在法國公園門口的巡捕，
見着中國人就放柏士柏士的洋屁，
實在令人痛恨，
痛恨呀！
痛恨牠做走狗的威勢，
欺凌中國的同胞，
同志們，，不要忘記罷！
我們就要將這等亡國奴，
有一千殺一千，
有一萬殺一萬。

✣ ✣ ✣ ✣

摸胸

他摸你任情發育地的柔膩酥胸，

如說是他荒唐，

不如說是他浪蕩，

他不管荒唐與浪蕩，

他衹領略天然的美感呵！

✣ ✣ ✣ ✣

艷 意

蝴蝶飛，

蜻蜓舞，

東風起處百花香；

天眞爛熳的妙年姑娘，

樂陶陶，

我衹要與你共心腸。

✣ ✣ ✣ ✣

哨　兵

更深夜靜的時候，

黑暗可怕裏站着一個哨兵、

持了一支三八式的步槍，

上了一刀白雪雪的刺刀，

靜聽得黃浦灘的海潮聲，

格勒格勒的響！

✤　✤　✤　✤

贈錢葆珍

爛慢可愛的密斯錢，

想是觀音普薩的化身，

願你出去了以後，

以救苦救難的慈悲心腸，

去解放被緊緊束縛的婦女，

努力奮鬥，

莫讓人先。

✣ ✣ ✣ ✣

贈袁季蘭

愛的幸福甜密，

自由平等的幸福更甜密，

小蘭，你想享此幸福的甜密，

全憑壹個心三寸舌，

訓練三萬娘子軍，

直向壓迫階級去征伐。

✣ ✣ ✣ ✣

贈 宗 瑜

我的熱血奔騰起來了，

願他凝成一朵鮮紅的自由花，

簪在你頭上柔滑之鬢，

使得奇珍異寶都黯然。

✣ ✣ ✣ ✣

打浦橋邊

打浦橋邊的裸體兒童，

皺皮垢面似棕種，

誰知他每日三飧食二飧，

還是粗飯一碗開水一盅，

✣ ✣ ✣ ✣

打浦橋邊的寒酸子，

可憐無告苦萬重！

貧困到無立錐地，

老家依那破船蓬。

✣ ✣ ✣ ✣

題像

君旣爲身長七尺好男兒，

莫拿這寶貴的光陰來辜負；

把副熱血，

努力前途，

快與革命大家爲伍。

✣ ✣ ✣ ✣

這寥寥幾個字，曾鼓起我的精神不少；我在廣州中山大學的時候，除每日上幾堂課以外，祇努力一個眠字，當眠不待言，卽食飯看書均要眠，無時不眠，無刻不眠，渾渾噩噩，變作眠人；我的朋友，都稱呼我爲胡景翼；但是我有胡景翼之好眠，沒有胡景翼之才幹，慚

愧孰甚；後來我被他們說到不好意思，
就把照片來題了這幾個字，打破我的眠
鄉，去黃埔過勞苦的生活，於今想來，
正是以前的種種譬如咋日死；以後的種
種譬如今日生，

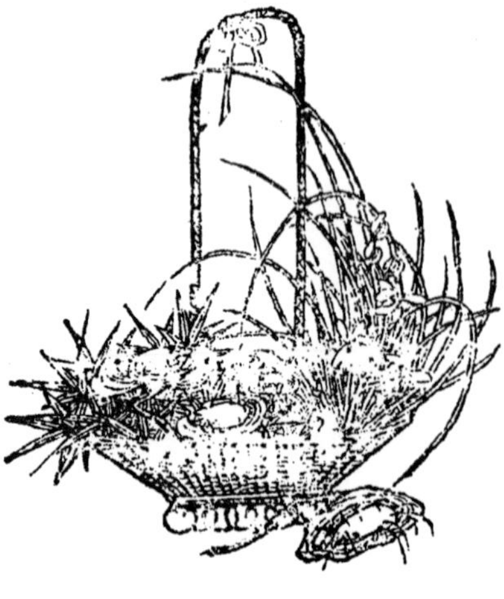

—— 雜　錄 ——

弔黃花岡烈士的碧血歌

碧血洒黃花，
頭顱堆積滿羊城，
烈士的精神長存，
中國的國魂還生，
黃花開，羊城角，
年年三月二九多人哭。

✣　✣　✣　✣

碧血洒黃花，
頭顱堆積滿羊城，
滿虜已驅除，
雄聲震動全世界，
黃花開，羊城角，
年年三月二九多人哭。

(63)

✣　✣　✣　✣

作於福州市公安局政治部
祭黃花岡之日。

✣　✣　✣　✣

傷兵的謠歌

殺殺殺殺殺過橋，
殺過橋後殺過散兵壕，
英雄死在沙場上，
中了一槍算什麽。

✣　✣　✣　✣

端陽節謠歌

去年端陽還在蝴蝶岡，
今年端陽在滬上，
飄落江湖六七年，

年年今日思故鄉。

✣　✣　✣　✣

記得在家過端陽，
做菜鹹淡嫂子嘗，
哥哥弟弟坐二排，
雙親坐在橫頭上。

✣　✣　✣　✣

哀情曲

離羣孤雁自悲秋，
見也徒勞對泣囚，
被壓迫，我憂憂，
一生命運且休休。

✣　✣　✣　✣

鬱悶繞心夜眠遲，

肝腸寸裂寫哀詩，
言情字，余最癡，
此恨綿綿無已時。

✣　✣　✣　✣

舟行曲

河頭言別手攀楊，
月桂隨風陣陣香，
爲革命，走他鄉，
舟行深處水泱泱。

✣　✣　✣　✣

半片太陽出荒岡，
遙聞牧苗是無腔，
輪船鎖，駕小艘，
葉葉相連過大江。

——雜　錄——

✣　✣　✣　✣

清明秋水滾金沙，

孤鷺齊飛落彩霞，

消鬱悶，使琵琶，

曲唱瀟湘日西斜。

✣　✣　✣　✣

中國危亡八十秋，

昂藏七尺豈甘休，

謀改造，展奇猷，

血飲匈奴報國仇。

✣　✣　✣　✣

作這四首曲的時候

，是在民國十三年

，我離家時恰恰秋

天；當時有很多的
朋友送我至河頭，
兩後的河水澎漲，
行舟如梭子一樣快
，正是「二岸猿聲
叫不住，輕舟已過
萬重山」，到了石
下壩，所有的小輪
船被洪兆麟的軍隊
封鎖，然後改搭民
船直至湖州，那時
韓江一帶沙明水淨
，觸景生情，當有
無限的愉快；但我

—— 雜　　錄 ——

不知道有什麼感觸
，心花怒放，極無
聊賴，遂提起一枝
筆寫這四首曲以消
遣。

✣　✣　✣　✣

寄胡筱蘭

儂與卿卿緣也慳，
聲聲語語奈何天，
一番相見一番恨，
恨海無涯終莫塡。

✣　✣　✣　✣

胡筱蘭是我求學
時代的一個最好朋

友，天眞爛熳，和
靄聰明，他的態度
，他的音容，我這
支筆眞不能形容，
我愛他的熱情，已
到極巔，我無時不
想他爲終身的安慰
；但被萬惡社會中
之舊禮敎束縛，使
我倆的願望，到底
不能達到，以致各
自悲傷，慘情不堪
言狀，這首詩，是
我最後的紀念品呀

— 雜　　錄 —

！

✣　✣　✣　✣

艷情

風吹樓角自徘徊，
仙女飄然降下來，
書案台前絮絮語，
秋波頻轉艷情開，

✣　✣　✣　✣

三生有幸得相逢，
細話情絲幾萬重，
海誓山盟憑此日，
牡丹亭下有玲瓏。

✣　✣　✣　✣

卿卿憐我我憐卿，

—雜　　錄—

石爛海枯祗此心，

連理枝頭花欲語，

千聲姊姊知吾情。

✣　✣　✣　✣

氣慨昂今女丈夫，

木蘭馳馬共征胡，

自由標得高歌轉，

專制家庭一掃無。

✣　✣　✣　✣

朱　等　娣

撇開蘭閣納風涼，

一味春花透壁香，

木映樓頭長帶恨，

朱簾欲啓鳳求凰。

—雜　　錄—

竹清未若有花淸，
士子留情枉惹情，
寸竹揮毫花欲語，
等閑窗外笑鶯鶯。

女方年少體方嬌，
八字娥眉畫欲描，
弔起韆鞦飄血色，
娣娘戲後暗魂消。

(73)

—雜　錄—

思念母親

母親，親愛的母親，，

你第二個兒子「太遠」「是我的乳名」為着了革命，飄流在千里之外，飄流在千里之外，已有好幾年了；你時常掛念我危險，你時常盼望我回家；你的心將掛念爛了，你的眼將盼望穿了，我呢？想是想回來慰你願望；但我的身子，旣許與中國國民黨，一年，二年，三年，四五年，仍飄流在外邊；唉！他的罪過，深過東洋大海，何時能把這罪過的大海填起來呢？前數日我得到秉鈞弟弟的一封信，說是母親病了！母

—雜　錄—

親的病勢沉重了！我讀過了以後，整日地暗哭，整日地流淚，靈魂已變作蝴蝶飛到母親跟前來了；一想起呆板木人似的，恨不得卽刻回來，省視，看護，嘗藥渦；我的腸子都節節斷了。我的腦中幻想做小孩子的時候，稍爲有點風邪的毛病，母親摟抱在懷中，很慈悲的心腸，摸摸頭，接接吻，很溫柔的言語不斷地說着，太遠你現刻好些麼？口渴不渴呢？肚子餓不餓呢？母親呀！母親，，你現在病在床簷間，你親愛的太遠，爲着了革命，在滬上不能歸，正是定使巫山望斷腸，唉！

（75）

忠孝不能二全，忤逆呀！使我欲哭哭無淚。現在我買寄回來的高麗參數十元，望你使小妹蒸來食下去，或能提起你老弱不堪形容消瘦的精神，病勢可以日見日好呵！菩薩保佑，菩薩保佑我的母親呵！

我這本革命花將要出世的時候，恰恰得到我秉鈞弟弟一封信，說是我母親病勢沉重，我恨不能生出二只翅膀，即刻飛到家裏去，一個人都是痲不仁，悲思交集，我即刻提起筆寫了這一篇貼在壁來當哭，現在我把他寫在詩尾，留爲永遠的紀念。

周 民 鐘 著

上海美的書店印

代售 上海美的書店
各埠大書店

1927. 9. 28. 出版

實售大洋三角五分

飄流

周民鐘 著

華通書局（上海）一九三二年十一月出版。原書三十二開。

華通書局發

飄流

飄流

——實價大洋三角五分——

中華民國二十一年十一月出版

目錄

目錄

曾序

我們走到了每一個都市裏面，都會看到一些蓬着頭髮的青年佔據着旅館寄宿舍的一大部份，這些青年，你要問起來，個個都會發出同樣的聲調「咳！中國被這般混蛋東西糟塌完了！如果不推翻他們，我們是沒有出路的」，啊！這是很顯然的，他們在踏出家門之前，何嘗不抱着無限的希望，希望來一個黃金時代在他們身上實現。但是結果呢？不是被擯棄，就是被摧殘。自然這一般青年祇有流落到旅館寄宿舍，過着流浪的生活。到這時他們的目的變了，他們祇希望來一陣風，把他們當做浮萍一樣，隨便飄到什麼地方去。所以浮萍般的青

年，就普遍中國的全社會，而中國的飄流青年，而成爲中國的一個很大的問題。

國民革命在歷史上留着了這一個名詞，在這時代亦已過去了，有權的抱着他的「金交椅」，什麼都不在他的眼簾下，有勢的打着他的「順風旗」，得意洋洋的奏着凱歌。這一般的青年，祇有在椅子腿，旗桿角的一邊斜着眼睛觀賞他們的得意，他們的享樂，他們的一切，他們——有權有勢的　對於這般的青年，可以說連看亦未看在眼裏。雖然他們的椅子和旗桿，都是以往的無數青年的鮮血的結晶品，但那已是歷史上的往事，與他們是無相關的。

流浪的青年，畢竟是有血性的，雖然椅子腿，旗桿角摸不到，但內心的憤激，是不能遏止的，於是乎造成了一種不平則鳴的呼聲，有

的形之於小說，有的形之於詩歌，周民鐘君的飄流，亦就是這一類。

然而這裏有一個很嚴重的問題，就是我們流浪儘管流浪，呼號儘管呼號，但是流落到那裏去？呼了以後怎麼樣？坐「金交椅」的，打「順風旗」的，對我們已是不聞不問，我們應當怎麼樣？

假若我們眞的是一葉浮萍，我們的確什麼都不怕，管他流去好了。但是我們亦是一塊肉體，還須每天三次的食物供給他。流浪可以隨他流浪，但是食物的供給，是沒有那麼隨便的。況且有的除了本身之外，還有其他的牽累！

我們就任他流浪麼？我們就白白呼號一陣就算了事麼？

流浪的青年們！我們應該怎麼辦！？

曾根一九三二，七，九，於福州

自序

我是個生長在一個數百家八口的農村，村裏的人在以前家家都有田可耕，有屋可住，「總要自家能勤儉，不愁無食不愁貧」。我記得我做兒童的時代，每日下午五時在學校裏放學回來，便天眞爛漫的同那一羣一羣的小朋友們，跑到四維的山上去，不是射鳥，便是採花，不是放風箏，便是唱謠歌；或跟着農夫農婦走到田間去，春天看他們栽秧，夏天看他們蒔田，秋天看他們收稻子，歡天喜地的過着甜蜜的日子，那時在這優美環境裏的我，眞是個天之嬌兒，那裏知道世界上有什麼憂愁與悲哀；可是那留不住的光陰，如流水般的一年一年的過

自序

去，我的年齡亦隨着了他一年一年的增長，於是我由小學而升中學，從此便與我風俗純良人民忠厚的農村分別了。

到了我十七歲的那年，由中學出來，首先由潮汕轉來省城，那時雖然是還在法校唸書，其實我已開始了飄流的生活。我這個意志薄弱的人，往往被物質繁華的誘惑及異性美的勾引，便忘記了我是生長農村的人，緩緩的傳染到了都市的惡習慣，時常同一般浪漫的人，鬧得昏天黑地，不知稼穡之艱難，把我家的錢，一個一個的都搾了出來；但始終溺愛我的爸爸媽媽，事事總是屈從我願。

橫逆之來的匪禍，當我在省城住到了第三個年頭的春天，便在我意料之外發生了，那次匪禍的發生，統計我家財產已損失了大半，從此以後，我便沒有像從前如意了，窘迫二字便乘此逞着威風鑽進了我

的心坎裏。回想起以前風來有人抵雨來有人當的黃金時代，眼淚就會像湧泉般的流將出來；好在我是沒有甚麽惡的嗜好，一切浪漫的事，亦容易結束。雖然如此，但我的學業已經成了問題。

古詩云：「柳暗花明又一村」，我在此難以渡過的階段中，人窮計生，便想出一條到廣東來的路；因爲廣東是革命的策源地，能夠容納我們這般的青年，當我到羊城之初，便在廣大繼續求學，但入校以後，對於學費購書費以及日常的需要等等不能解決，那學士的頭銜，是不容易得來的。在此時我祇有想到一面求學，一面謀生的計劃，於是便請了一位有力的先生介紹我在機關裏當了一個錄事；在晚間再搾些了腦汁，寫些文章寄到各報的副刊上換些錢來；像這樣我便維持了一年多。然而到後來，因爲病魔日擾，須自己的汗血換來的錢來求

自序

學，實在難以辦到了。襯衣內褲，襪子皮鞋，亦絡續的破濫起來；貧了還要病，病了東西還要破濫，「越寒越起風，越窮越落空」！在此備受了經濟環境壓迫下的我，祇有去另外再闖闢一條生路。

唉！我們這般的青年，會備受經濟壓迫的痛苦，完全是因爲中國政治不良土匪蜂起的緣故。否則若我家沒有遭過匪禍，我求學的費用，是源源可以接濟的。以後我想到我所受的痛苦，固然痛苦；然在現代中國，同我受一樣痛苦的青年，是布滿了全社會。我們這般青年，如果要解除這樣的痛苦，非從根本上努力去做改革的工作，是不成功的。我遂決心把身上穿的學生衣和長袍子脫下來放在一邊，便興奮的乘着黃浦江上往來的船到黃浦島上去「投筆從戎」，換上過一套土灰色的軍裝，同數千個熱血澎奔的青年生死在一起；鍛鍊我的身

心，堅强我的意志，撑起青天白日的旗幟，在革命的戰線上決力的奮鬥。

自從黃浦島上出來，東征北伐，參加了不少的戰事，每次在火線上頭，都抱着大無畏的精神，勇敢的向前衝；宿露飱風，不辭勞苦，直到中國將統一，那般爭權奪利的野心家，便將他們的猙獰面孔暴露了出來的時候，舊軍閥舊官僚打倒了，新軍閥新官僚上了台；幾千幾萬青年的頭顱和熱血，堆成他們的金字塔，染紅他們的紫黄袍。肩上所佩的鎗，鎗口總是向內，沒有一回向外過。我看到這樣，覺得很慚愧，便退了伍出來，情願回到我生長的農村去，做一個勤儉樸實的農民。然而令人求生不得，求死不能的中國，因爲當局之執政不善，而狼藉洶湧的赤禍　蔓延到我的家鄉，數年以來，已弄成不成樣子，現

自序

我村裏的近狀就是「我欲歸去」那首詩所描寫的情形。因此之故，我則不能歸去，只有流落在外頭，受苦含辛，永遠地度着飄流的生涯，連我最小的願望，亦不能達到。

讀者們：我在此流浪生涯中，又爲着生活的問題，不得不去做我不願做的工作了，而黨而政而教育，依然是在烏煙瘴氣的國度裏糊混了下來，今天在這裏，明天在那裏，眞好像是無定的流螢，任狂風暴雨的摧殘，正所謂

「觸目天涯不盡悲，飄零身世履冰危；
殘陽一片朦朧影，只向知心照淚垂！」

過去的數年中，若把他一段一段的記載出來，點點都是血淚呵！

文學一層，我的性情，本來是很接近，但因爲生活不安定的緣

故；撲撲風塵，沒有時間去研究；沒有進步，便是退步。自在十六年出版一部詩集以後，一切的著作，均沒有去整理起來。近因各朋友勸我將歷年積稿彙刊公世，所以草草地編成了這一部「飄流」。這部飄流的內容，由我自己看來，可以代表我數年中流浪生涯之一部份的生活的呼喊。然我對於詩沒有受過相當的訓練，恐怕貽笑大方。惟欲答謝各朋友的盛意，便敢大胆的和讀者諸君見面。

「詩是愈窮愈工」，此話誠不虛，如古代的詩人杜工部，因爲當時的環境惡劣，曾將他內心的悲哀發洩出來心絃之音，作成許多的好詩，到了後來，人家便稱他爲詩聖；又如白居易，因當時秦世鼎無道，弄得國家政治紊亂不堪，人民顚沛流離，使他在那時，事事不得如意，所以他亦會寫出「秦婦吟」這類的好詩來。由這看來，詩是社會

的寫眞，人類的不平鳴。大凡一首好詩，便活活潑潑的，有淚有血的；詩的裏頭，可以看出詩人的微笑，詩人的沉思，詩人的愁顏，憔悴；亦可以聽出詩人的呼聲，詩人的嘆息，詩人的高吟，長嘯；能將詩人自己的生活史具體的表現在紙的上頭。

詩的產生，本來是無目的的，是發其所不能不發，是表現其所不能不表現，不知不覺的，自自然然的，簡單一句說，就是「觸景生情」。其主要的使命，是在宣洩當代全體人類的情感，是在批評當代全體人類的生活，也在暸訴當代全體人類的痛苦與期望，是在代替當代全體人類的向不可知的運命作奮鬥的呼籲；所以要有極濃厚極誠懇極眞摯極纏綿極優美的情緒，才能挑動人的心絃、鼓起人的勇氣，而現出詩的「眞」「善」「美」來。

讀者諸君呵！寫詩本不容易的，何況我這個沒有詩的天籟的人，
寫出來的詩，當然未必能夠成爲好詩。但寫詩的條件，是發其所不得
不發，表現其所不得不表現，所以我亦寫他幾首出來。

可惜我不是個豐富天籟的詩人，
如果是的話，我要將我的喜怒哀樂盡情地吐瀉出來；
表現出個人的特性，
流露出我生命的源泉；
把我快樂的心琴上彈出來的聲音，傳播到同情者的心坎裏，
把我憤怒的頭頂上冲出來的煞氣、壓倒了兇狠的惡人；
使喜歡者同我一樣的喜歡，
使悲哀者同我一樣的悲哀！

自序

我已不是豐富天籟的詩人，
我願做個世界上的大愚人；
在無聊孤寂的時候，
我可以獨自一個人走到山頂上頭；
看見了一枝可愛的鮮花，
便覺得他是能解語；
看見了一輪皎皎的明月，
便覺得他是能知情；
聽到了風聲，濤聲，
便覺得他是在唱歌，在嘆息；

— 14 —

啣着了一枝小艸，一雙蝴蝶，
便覺得他是在依戀，在愛憐；
讀者們：我願做個世界上的大悲人。

有人說：詩是詩人的精神產兒，
那末！詩人手上寫出來的詩，
卽是詩人的生的顫動，靈的叫喊，
那兒是有詩人沸騰的熱血，洶湧的淚泉；
讀者們：我這願做個世界上的大悲人，
我將來要上詩壇上去跳舞，
我將來要到詩國裏去遨遊。

自序

可是啊！讀者們，我這願做個世界上的大愚人，
但不願去贊美特殊階級的貴亦樂華；
因爲我是個過着流浪生涯的飄流者，
我只有深入到民間去和平民作個愛好的伴侶；
他們的房屋是黃土築成茅蓋的，
沒有那高大宮殿般異頭假作威福的僕人，
到那平民家裏去出入，
是沒有一些拘束，可以自由自在的呵！

聽過了我上面所說的話，看過了我下面所寫的詩，便可以知道我流浪生涯的大概了。現在我寫到這裏，而思鄉的觀念又從心泉深處湧

下了起來，正是——

「流落他鄉思故鄉，可憐莫歸憶重陽；
三徑黃菊愁聽雨，一任東風怨恨長」。

有時我思鄉到悲切的時候，曾幾番從睡夢中啼哭過來，想到「尋好夢，夢難成，有誰知我此時情！枕邊淚共階前雨，隔個窗兒滴到明!?」之句，我將憤不欲生。至我焦悴死的媽媽，已不堪去追憶；然尙在之年逾古稀的爸爸以及我兄弟們，無家可歸，骨肉離散，眞教我的心兒如黃豆兒在熱鍋裏跳躍，但我依然流落在外，將來我的血淚必有揮盡之一日。

啊！我這飄流者所處的境遇是如此，想起來，的確是十分的可憐。但在此政治紊亂的時期，如果走到十字街頭，同我這樣情形而飄

自序

流着的，一定是很多，想他們內心的痛苦，諒亦不減少於我，現在我在悲痛之餘敬告與我同病相憐的青年們——

「灰心卽是自殺，

奮鬥才是出路。」

大家應該集中力量、整齊步伐；雄厚我們的魂力，提高我們的人格，摧廢我們的囹圄，改造我們的環境，開闢新的樂園；創造新的生命；爲社會人羣的幸福而奮鬥，爲民族生存的光榮而奮鬥；不要因爲飄流而墜落，不要因爲飄流而頹唐。然後再將我們偉大的一切一切藉着詩的精神活活潑潑的表現出來，遺留我們永遠不朽的飄流痕路。

秉彝民章序於福州

— 18 —

飄流

唉！我，我，我，
我這個流浪者呵！
爲着的是革命，走遍的是天涯；
那茫茫的大海，莽莽的神州，
那玄黃的山色，亂雜的草叢，
那刼後村莊裏的荒田，頹屋，
那走不盡的道路，橋樑，
那繁華的口岸，零落的街頭；

飄流

數年來經過的是苦境、獲得的是憂愁，
何處是我的歸宿，何處是我的家鄉！

離別之夜

久雨過後一天陽光初升的清晨，
爲着事業前途，匆匆地離開了山川明媚的故鄉；
二手提着輕便的行裝，登上行程的時候，
在河頭對那期望的高堂，忍心地的辭別！

暴漲兒湧滾滾向東流的河水，
把一葉孤帆，如飛機架輕雲般的迅速地送到了杭城；
啊！這時、這時，正是二岸猿聲啼不住——

離別之夜

——輕舟已過萬重山！

城內城外的萬家燈火，亦已四處起了，
燈火的光芒，好像黑漆般的天空裏點點的星光，
照在河心上面，不斷地閃耀着，
在那時的我呵？已充滿了無限的詩情。

浸溶在皎皎秋月的河頭樓上，
發出來嘹喨的，悠揚的笛聲，胡琴聲，
已與灘頭浩浩蕩蕩的水聲相應和；
夾雜着疏疏的幾聲犬吠聲，更助着一種興趣。

泊在對岸舟子上的人們，
你們，你們有沒有領略到漂流者的滋味麼？
隱隱的聽見你們歡笑聲，
似在那裏把酒話桑麻！？

在旅途上

走上了這前路茫茫的旅途上，
不知是向東行向西行才是出路的方向；
啊！我這個髮長消瘦的飄流者，
恐怕終有走到一日的疲勞。

好容易的走到了一座崇山峻嶺，
然而我瞭望着大地，心兒更是浮蕩；
歇息在蔭森樟樹下的涼亭中，

在旅途上

那有心緒聽那懸岩飛瀉的瀑布聲響、
樵夫樵婦們互相唱答着悠揚的情歌，
把比音樂唱得還好聽的描眉兒唱倒了；
啊！你們眞是享盡了大自然幸福的天之嬌子，
知不知道有個飄流者在旅途中。

山光別後望見了重洋，
無邊的海水更使心兒渺茫；
破着後浪催前波的火船呀！
不知你能載運多少的憂愁!?

飄流

夜神吞沒了日的光明，
那光明的世界驟然的黑暗了；
坐在滄海上面任那波濤翻送的飄流者
覺得人生的意義眞像這晚間的旅行。

走上了這前路茫茫的旅途上，
不知是向東行向西行才是出路的方向；
啊！我這個髮長消瘦的飄流者，
恐怕終有走到一日的疲勞。

在旅途上一九，三一，十二。

給K.W.Y.女士

我眞是好像一葉無根的浮萍，
不知經過了幾多的風浪，由山溪裏飄流到海濱；
現在想到那飄流過無底的深淵，危險的灘頭時，
我的微弱的靈魂，不知還在那裏!?

姑娘：聰明的姑娘，我這不幸的人生，
想您的心琴，能和我的心琴彈出同情的歌調；
世態炎涼。人情冷暖的虛僞世界。
我們盡量的把牠咒罵，盡量的把牠彈倒！

給K.W.Y.女士

那高大的宮殿，華麗的洋房，
那充滿了銅臭的街道，市場，
都不是，都不是我的棲身安頓的所在，
祇有勝過象牙之塔的您那晶瑩的心堂。

啊！我快樂，無限的快樂，
因爲我黑夜裏發現了燦爛的，皎潔的明星；
我要將我整個的，誠懇的心兒，獻到你這明星之前，
永遠地把我們初次相會的卍字亭來紀念。

一九二九，五，三，於上海

送影霞

一九二七年三月在榕垣代鐵英而作

妹妹：酒未冷，燭未殘，請您痛飲這一杯，
刹那間，你竟唱着驪歌離開去了，
祝您順着風，破着浪，一路平安；
　別時容易見時難，
　千金一刻，只此回；
從此後，伯勞飛燕各自飛。

送影霞

妹妹：東方稍白，請您痛飲這一杯，
你別了閩江到了申江去，
只留下夜深人靜，我在月下徘徊；
世事茫茫談未了，
唱完上樓頭去看早霞飛；
從此後，海枯石爛莫忘我這次的情悲！

妹妹：我當陪您痛飲苦過黃連的這一杯，
我料您留戀難捨的，
屋外桃花正芳菲；
殘枝上的啼鵑，

叫得我的心悲！
從此後，個郎臥病有誰睇?!
妹妹：汽笛鳴了，請您痛飲最後這一杯，
半年聚首，一旦分離，
惹我流下幾許的英雄淚！
剩下瘦骨如柴的我，
夢寐間祇望着您回!?
從此後，各養隻傳書鴿，使得消息輪迴。

凝思

好像是陽春的天氣，
白雲鎖住了低矮的山岡；
淡灰色的天空，遮住了大地，
惟有不知愁的小鳥兒，正在楊柳枝頭上跳舞。

他靜悄地站在傾斜的薔薇架下，
俯着頭不知凝思着什麽？
東南角上，忽然吹送來了一陣凄楚的風聲，

流　　飄

凝　　思

他的淚珠兒，又點點的洒在消瘦的腮上。
湖裏的浮萍，隨着水紋無定的飄動，
他覺得他流浪的身世，亦同浮萍一樣的渺茫；
所以他想離開這惡濁世界求解脫，
不願再聽見人們的哭聲和笑聲。

那帶着猙獰面具而又兇狠的東西，
懷藏着的，盡是殺人的利器；
唉！社會的現實已是這樣，
他凝思到這步，還有什麼希冀！

與濟時

朋友：黨派分歧，國事蜩螗，
正是我們革命青年臥薪嘗膽的時候；
我們應當鼓起失敗後的精神，
拚命的，拚命的努力，奮鬥!!

醒罷！朋友：那甜蜜的葡萄美酒
是助風流才子賦詩賞月的興趣；
負着時代前驅使命的我們，

與濤時

切莫，切莫讓他來陶醉！

朋友：更要知道，迷人的，風騷浪漫的姑娘，
不是我們的靈魂寄托者；
我們青年的新生命，是建築在革命意識上頭，
醉生夢死，卽是犧牲自殺的鋼刀！

勝過刀兵，亡人家國的「酒」「色」
應該深深地知道和他遠離；
饑寒交迫的痛苦戰士們，
我們不要使他們對我們有所失望！

西湖傍晚

微寒的春風，帶着香氣，陣陣地從湖面上襲來。
豔麗的花兒，似乎都在那兒憨笑，
裊娜的楊柳，如舞女般跳舞的飛舞着，
一羣羣的小鳥兒，還奏着有節奏的惹人動聽的音樂。
但是，但是那頻年飄泊的風塵孤客，
追憶着過去的失意，創傷，
在這自然界的幽懷裏，更覺得世界是空虛，渺茫！

西湖傍晚

背着手，徐徐地，孤寄零地步出了園圍，
呆呆地坐在那貫虹橋上長吁短嘆，
風燭殘年的老父，又湧上了他追憶的心頭，
於是他的心絃，彈出凄凄切切的悲調，
恨不得生了二隻翅膀，向那遠遠的白雲深處飛去；
然而，然而那裏是赤焰冲天，殺氣騰騰，
啊：是去不得的，去不得的，去了有生命的危險。
美麗的彩霞，飛騰在西天角上，
啊！這是黑暗將臨的黃昏時候；
親熱的，挽着手的遊客們，一雙雙的歸去，

祇有他從發呆過來，提高喉腔，唱着悽愴的歌曲，
復而朝着天空，大着聲，帶着無限悲怨的苦笑；
朋友：這時、在這時，他的心——完全碎了，
他想到他誠然是個擯出人類以外的天之棄兒。

那碧綠的湖水，蕩起了嬉笑的漪漣，
那青青的草木，亦帶着欣欣向榮的生氣，
鮮血般紅的花兒，惹得蜂兒飛採，蝶兒癡癡；
像這樣可愛的環境裏，本可把憂愁擺開，
可是另具心腸的他，總看到世界上的一切一切，不是他的，
因爲他的靈魂，如飛鳥般的翱翔，沒有歸宿的所在，

所以他决心，鐵硬般的决心，準備向斯世的魔王殺去。

一九三一，春月寫於西湖

不堪回首

我眞想寫首喜愛的新詩，
將我飄流生涯的情形，盡情地描寫出；
但是我現在，是不可能，不可能，
因爲我的心兒，好像「驚弓之鳥」般的負了重傷！

我那如春露般能洒濕青山的紅淚，
將來一定可以成一條能通舟揖的血河；
與我同情飄流的朋友們呀！

不堪回首

你們可以蕩漾着舟子，在此血河內任情地漂流。

我底可憐可憫可歌可泣的靈魂兒，

你是何等的不幸，何等的不幸；

雖然你足跡所到之處，你都遺留下不少的痕跡。

然而，然而四海皆寬，有那一處是你立足的地方！

俯瞰小天下的泰山頂上我亦曾狂放的唱過歌，

廿八目為堪足紀念的雷峯塔裏邊，我亦曾無聊的題過詩；

啊！那歌，那詩的記憶，現在已如流沙般過去了，

唉！往事不堪回首，往事不堪回首!!

我記得，我深深地的記得，
記得我第三次失戀的那天晚上，
我覺得世界驟然的黑暗了！
我覺得世界驟然的要沒落了!!

有人說：「人生」是孤寂與無聊，
有人說：「人生」是悲哀與痛苦；
朋友，我二八年來到於今，到於今，
孤寂，無聊，悲哀，痛苦，是已深深地感受到了！

不堪回首

過去亦曾穿起戎衣，做過沙場戰士，
過去亦曾熱血澎湃，做過革命健兒；
啊！沙場的戰士，革命的健兒，
你的汗和血代價換來的，到現在得到了的是什麼!?

想進去而又不能進去的樂園門口徘徊，
想衝破而又不能衝破的牢獄門前嗟嘆；
到現在對於這些，這些，雖不知是甜蜜!是酸痛的滋味，
但我的矛盾的思想，依然地還在交馳。

厭倦了一切渴慕的我，

現在祇有在晨曦將透的時分，在海濱邊悵望！
那溫存的，令人顛倒的美女心堂，
豈能得來做埋葬流浪者尸骸的坟墓!!

那渺茫的宇宙內，一切是着不安定的狀態，
我現在，我現在回憶過去的那些，那些，
唉！眞是剩得的是憂愁，是淚痕！
啊！不堪回首話當年——。

三、二九

這樣令人奪魄的聲嚮，
山要崩了，地要裂了；
高大的總督衙門，起了鮮紅的火燄，
啊！××了，××了！

拍，拍，拍的槍聲連續的嚮着，
殺，殺進去，殺死那個魔王；
我們要爭我們的自由！

三、二九

我們要爭我們的平等!!

血花濺紅了街頭
腦漿塗滿了道上;
扮飾太平的,繁盛的羊城,鬧成了空前的恐怖,
革命的旗幟,在囂塵中飛揚!

啊!這樣可怕的鎗聲,炸彈聲,
竟將大清皇帝的美夢驚破了;
久被專制淫威下壓迫的人民,
一個個的都已蘇醒過來。

飄流

初秋早上

由東窗偷進來的微弱陽光，
徐徐地照在我的牀沿上；
吹來如許「好學」的風兒，
無端的亂翻着我愛讀的新詩。

樓外密集林中的小鳥兒，
咕嚕，咕嚕的相問答，
還奏着特別好聽的音樂，

初秋早上

想是他們正在開舞蹈會啊！

半眠不睡的我，
猶做着衝鋒喚殺的驚駭夢，
無情的起床鐘響了，
把我夢中一切幻境冲破了。

起來走出了太平門，
仰覷畫不如的天色，
俯瞰裊娜依戀的楊柳，
自然界的美，直使我不能形容。

留別

朋友：別了，別了，別了，
別後的相逢，不知何年，何月，何日，何地，何時；
這樣匆匆的見面，匆匆的分離，
唉！實在是玄妙，實在是滑稽！

朋友：環境已要隔絕我們——算了罷！
如果你不忘我這副深凹的眼睛時，
看看我留下的小說，詩歌，

留別

那裏有模糊的血跡，悲哀的淚痕！
朋友：過去的失敗，不用去追憶，
因爲那一切一切已經飄渺虛無了；
不過我們還在人生的旅途中，
仔肩還沒有丟下。

朋友：現在的世界，是虛僞的，
眞實的，還待我們去創造；
我們的靈魂還時時在一起，
所以我們不要去計較我們形式的分離。

— 54 —

流　　飄

朋友：別了，別了，別了

別後的相逢，不知何年，何月，何日，何地，何時，

想這種匆匆的見面，匆匆的分離，

唉！實在是玄妙，實在是滑稽。

送同學歸去

同學，同學：我二次送你們上嵩山丸，
你們都喃喃欲語對我無限的依戀；
見面幾天又離別，
又不知見面待何年！

你們現在都歸去了，歸去了，
我在此處究竟還有什麼纏綿；
但是我若同你們一道歸去，

送同學歸去

恐與我有生命相連！

秋水是流個不停，
秋風是吹個不住；
同學：看那茫茫的前途，
何處纔是我的歸路！

說起如此破碎支離的局面，
巳經憤發的心頭火，
我要燃燒欺凌人的人，
剩下同病相憐的你們與我。

我當歸去

昨夢看見了我的弟郎，
便倉忙地走近了我底身傍；
形容已是萬分焦悴了，
加穿上了一套那繿褸的衣裳；
二個眼睛對我呆呆的視着，
未開言而淚珠兒已流透到胸膛！
我問起自我別離後的家鄉，

究竟到了如何的形狀；
他定了，定了他的神情，
便緩緩地，緩緩地敍說個短長；
他說完了以後坐在沙發上，
顏色頓然的變起非常的悽愴！

「房屋盡被熊熊無情的烈火燒去了，
到了現在荊棘已叢生在昔　繁盛的華堂！
後龍山的樹林，亦被破蕩了，
門前的魚塘已經變了荒塘；
從此全鄉不聞雞鳴狗吠，

舉目眞是令人無限的悽涼！
　荒去了的是一塅一塅的田園，
折斷了的是一條一條的橋樑；
　鮮血染紅了山溪，培長了靑草，
眞是牛羊絕跡馬蹄忙；
　匪徒去後又復來，
奔避在深山洞內時時還在教人驚慌！
　餓無食，寒無衣，風雨襲來無處避，
祇有，祇有老老少少啼哭山上；

我當歸去

因此迫到你殺我，我殺你，
造成了數年來的冤冤相報；
强者欺弱者，弱者拚轉强，
二八年華的嬌小閨女亦荷鎗上戰場。

匪徒口中說得聲聲的公道，
誰知他綁了肉票把來換現洋；
燒呀！殺呀！搶呀！他們都做盡了，
遭他們洗刦的，豈止我們的家鄉；
有錢人已打倒了，無錢人亦遭殃，
他們的罪惡，何能敘得端詳。

我們慈善忠良的爸爸，爸爸，
他　他，他自遭了這樣橫來創傷；
瘦骨如柴，行走無力，神經失了知覺，
更現出他那風燭殘年的形樣；
受盡了萬般的辛苦，落盡了疏疏的白髮，
他總還在懷念着你，時時悵望着這角的雲鄉。

有一晚匪徒又如狠如虎擁到我們的家鄉，
我們兄弟數人聞着風便扶着爸爸逃避其他的村莊……
走上了一條夾着二株古松的羊腸小道，

飄　流

我當歸去

靜寂寂的見不到一個人影，聽不到一句的聲響；
　舉頭望見似霧似煙的朦朧月色，
那能想像着過去的明光。

　從此後，男男女女長久地在外逃亡，
到了現在，已他在一方，我在一方；
　剩着兩袖春風，無家可歸，
祇有在山窮水盡的路尾上傍徨！
　唉！此恨綿綿無盡處，
將來祇有隨着地老天荒」。

飄流

昨夢看見了我的弟郎，
聽他敍說了家鄉的短長；
我的心兒鬧到跳躍了，
醒來還嗚嗚咽咽地哭了一場；
朋友呀！我不應該再在此處長此飄流，
應該歸去看看我底刼殘的家鄉！

寫於漳龍失陷返省第二天之清晨

你在愛我

午飯剛才吃過的一天下午，
慘淡而微弱的陽光，無力地照惹人愁；
坐在廂房裏凝思的我，
很疲倦的躲在那張小鐵床上眠着。

剎那間我便二眼朦朧的走入了夢鄉，
斯時初正和我的愛人攜手地在遊西湖；
從紫微亭裏聽了音樂走了出來，

你在愛我

便蕩漾着舟子在湖心裏遨遊。

湖邊的風景照入在湖心裏面，
好像是一幅極美麗的圖畫隨着舟子移動；
在二岸上的一雙雙的可人兒，
又好像是在圖畫裏的楊柳樹下談情。

我倆當在遊興勃發樂以忘憂的時候，
突然間如萬馬奔騰的來了一陣狂風暴雨；
我的愛人呀。聽了嗔——的一聲雷聲，是怕極了，
我的眼睛一花，她便失了蹤！

啊！我的心兒碎了，
啊！我的淚兒流了，
於是我在驚駭中大聲呼出她的名字——
——麗珠！麗珠?!麗珠!!!

我起床時，已是陽光斜掛在西天角上，
她在堂前便微笑地問我在睡着時叫她做甚麼？
我便將二個深凹的眼睛注視着她，凝思那夢境，
對他所問的話祇搖搖了頭。

她說：我知道了，我知道了，
我知道您在夢中愛我，
所以您在夢中曾會發出呼我名字的聲音；
啊！您的愛我，已在心窩中最深處了！

一九三二，七，十。於福州

心都剪痛了

剪了一套又一套的衣裳，
已經把我的心兒都剪痛了；
但是我是始終愛你的，
無論如何我總要忍痛着。

摩登式的女郎固然可愛，
可是，My Dear！您怎樣的可以去模仿；
因爲大風吹來的荷樹葉不會變着錢，

心都剪痛了

錢是要我嘔心血才能換得來。
My Dear！想您亦深深知道，
我是個頻年飄泊的飄泊者；
在此飄泊的風塵中，
現在已是到了日暮途窮了！

喜愛漂亮本是姑娘們的常情，
然而喜愛您所喜愛而又不可能的我；
祇有願那天上五彩的雲霞，
能把來做您美麗的衣裳。

一九三二。七，三。於福州

趕赴前方

我留下這套近身的衣裳，
愛人呀！你放在箱角下珍重的保藏；
海可枯，石可爛，
我們的愛情將與天地共久長！

巨大的大炮聲響，
愛人呀！你不要聽到了驚惶；
我爲民族爭生存，

趕赴前方

當穿起戎衣趕赴前方！
慘淡廣漠的沙場，
愛人呀！你想亦必知道是英雄歸宿的家鄉：
殺盡了橫暴的倭奴，
馬革裹尸，就算我們最幸福的榮光！

離別雖是這樣匆忙，
愛人呀！你不必像兒女子態的悲傷；
因爲你那睫毛下的淚珠兒，
會教我的心兒悽愴！

— 74 —

我留下這套近身的衣裳，
愛人呀！你放在箱角下珍重的保藏！
海可枯，石可爛，
我們的愛情將與天地共久長！

寫於滬戰開始之後三日

憂愁

唉！憂愁、憂愁，憂愁，
剪你，亦剪不斷，
理你，亦理不清；
無論在甚麼地方，甚麼時候，
你總還在我底心頭！

想起生長在這樣不景氣的國度裏，
許多令人傷心的現狀，橫在我的目前；

憂　　愁

帶着格腥的瘴氣，
迷任了我的錦綉的家山；
現在我無可歸去，祇有流浪在外頭。

小鬼般的倭奴們，
又像鼠兒般在黑夜裏橫行，
一步一步的偷噬我中華的領土主權；
恨我四萬萬的同胞們，不能齊心齊力地將牠驅除。
朋友：怎不教我憂愁：憂愁！

昨夜我在夢魂中，

猶聞我愛國戰士抗日的洪亮喚聲，
啊！這何等的雄壯，何等的威風，
但是，但是我一夢醒來，
淞滬陷落的憂愁，又湧上在我底心頭。

最不堪提起的，是滿蒙半壁，
現在，現在已非中華民族所有了！
山河變色，國人之羞，
將來在黃泉路上，怎樣有臉孔去見軒轅祖宗，
唉！憂愁，憂愁，將無盡頭！

憂愁

聽說亡了國的人們，是怪可憐的，
不特行動不得自由，即談話的自由亦剝奪了！
如果大家依然是渾渾噩噩的，
恐怕這悲慘的日子，就要來臨，
唉！這是令我多麽的憂愁：

現在我們是已經亡了家鄉受了創傷的人們，
怎能當得住加嘗亡國的滋味，
因爲受夠了百般苦痛的悽涼；
所以我在此憂愁的苦煩中，
總想把這個憂愁來擺脫，然而怎樣的可能。

眞說不盡的國難家愁，
弄得我的心兒，好像有烈火在燃燒；
　在這個時候，在這個時候呀！
朋友：你若問起我有多少的憂愁時
恰似一江春水向東流。

　唉！憂愁，憂愁，憂愁
剪你，亦剪不斷，
理你，亦理不清，
　無論在甚麼地方，甚麼時候，

你總還在我底心頭。

寫於上海停戰後

我底過去

憶起我底過去二十年，
渾渾噩噩那知天；
寶貴的光陰隨着流水過去了，
朋友：一事無成，我祇有羞無顏面淚漣漣。

想起我過去的，眞是一場滑稽春夢，
欲追求，無可追求；
我現在，現在惟有在這革命的旅途中，

我底過去

容熱烈的感情，任意地衝動！
着了急的心頭火，
不知要燃燒到幾時；
於今國事更蜩螗，
幾乎弄待我要發狂！

有人問起我的過去如何？
實在曾受過幾番的折磨！
二十已過去，三十又將臨，
到現在還未跳出萬劫的網羅！！

現實世界

世界好像是一個劇場，
我們好像是劇場上的演員；
悲歡離合的劇情，
我們過去亦曾表演過。

世界好像是一個沙場，
我們好像是沙場上的戰士；
失利得勝的戰爭，

現實世界

我們過去亦曾經歷過。
世界好像是一盤棋局，
我們好像是棋局中的下棋者，
車馬砲卒的功用，
我們過去亦曾知道過。

啊！世界是劇場，沙場，棋局，
啊！世界是劇場，沙場，棋局，
這其中這其中，
許多的失敗者，

許多的得意人。
失敗者垂頭喪氣，
得意人喜氣洋洋；
於是一個看到世界是地獄，
於是一個看到世界是天堂。

在天堂上的人是快樂神仙，
在地獄中的人是痛苦備嘗；
所以受痛苦者要推翻這樣的現實世界，
那得意人又要把他拚命的維持。

因此世界上的人分成二個壁壘，
天天的起來總是不斷的鬥爭；
你有你的同志，
我有我的同袍，
眞好像是下棋般的你用一駕車我騎一匹馬。

啊！那駕着鐵甲車的人，
啊！那騎着雄壯馬的人，
他們又好像是劇場上的演員；
你若喊殺前來，

我便衝鋒過去。

世界因爲這樣的撕殺，
當在那炮口的士卒便血肉橫飛！
失敗者懊惱悲傷，
得意人大逞威風；
啊！這樣的現實世界。

女神

姑娘，美麗的姑娘，
你那窈窕的姿態，
你那沉魚落雁之容，
你那帶月羞花之貌，
倘若我是一個畫家，詩八，雕刻家，
我要把你琳璃盡緻的畫出來，刻出來，描寫出來。

姑娘，美麗的姑娘，

女神

你那蘋果般的臉龐上面，
生着一朵青雲般的頭髮，
生着一雙娥眉月般的眉毛，
生着一對秋水般的眼瞳，
生着一口白雪般的牙齒，
再加上了你那微微的笑渦，
怎不敎人沉醉，敎人消魂。

姑娘，美麗的姑娘，
有人說你是天上降下來的女神，
在人間的安琪兒面前，

你可以誇耀，可以驕傲；
　因爲你那姿態，那音容，
已勝過溪邊裊娜的楊柳，
已勝過園中清香的花枝。

　姑娘，美麗的姑娘，
尤其是你那清碎腕轉的聲音，
在月兒歸去，星兒睡去的深夜裏，
你若唱起悠悠的，悠悠的清歌，
傳到知音者的耳中，
他一定是會神往魂飛。

女詩

姑娘，美麗的姑娘，
宇宙間有了一個你，
地球因此不斷的旋轉，
河水因此不息的長流，
太陽射去燦爛的光輝，
月光發出皎皎的明亮，
鸚鵡在那兒唱歌，
蝴蝶在那兒飛舞，
人類爲你無窮的快樂，
啊！姑娘，你是宇宙間一切的靈魂。

飄流

可是呵！姑娘，美麗的姑娘，
你食的是山珍海錯，
你穿的是錦綉綾羅，
你坐的是輕便汽車，
你住的是華美洋房；
你日常需要的雪花膏，花露水。
亦要那黃金葉子才能換得來；
是要那繁華的都市裏，
你纔能夠快樂的生活着；
是要那有錢有勢的人，
總能聞到你醉人的香氣，

女神

總能惹得你青眼的垂憐。

姑娘，美麗的姑娘，
你眞是一個可人兒，
你知不知道有一個流浪者亦在對你傾心；
然而他是沒有資格的，
只有遠遠地，凝神的睇望着；
因爲他的頭髮是蓬鬆的，
因爲他的衣冠是不整齊的，
在什麼時候，什麼地方，
都會發出一種久未洗澡的臭氣；

如果是，如果是他近在你的身傍，
你一定會輕視，一定會嘔吐；
所以要有錢有勢的人，
才能夠配作你的伴侶！
啊！美麗的姑娘，
你眞是天上降下來的女神。

一九三二，七，二日於福州

奢遇

我在此賦閑好久了，
很想到滬濱一行；
所有我的一切朋友，
我亦已經告訴了他們。

到滬濱的消息傳出來好久了，
但我到現在還沒有成行；
南大街的馬路上，

沒有盤纏

時常還可以看見我的足跡在那兒頻行。
像如此的一天一天的遷延，
便有人問我有什麼的纏綿；
其實我並沒有什麼的纏綿，
却因籌不到一筆的川費。
唉！川費。川費，川費，
你眞是一條鐵鏈般的繫住了我不能向前；
我那神聖的自由意志，
無形中已被你捉到油鍋裏去煎。

歸期何日

不管是途長路短，
我這個悲傷者總怕別離；
親愛的弟弟呀！
歸期却在你春宵夢裏！

何況是危險的人海茫茫，
怎不教我怕在兇濤猛浪中飄盪；
啊！飄盪，飄盪，飄盪，

歸期何日

正如孤雲一樣！
說不盡的是酸還是苦的情緒，
我微微顫動的迷散心中總覺得空虛；
人生聚散本無常，
難堪的是孤零的遠去。
從此後天長路遠，
舉頭望月月無邊；
牢記着這悵惘的別離，
莫去看那蝴蝶翩翩。

不管是途長路短，
我這悲傷者總怕別離，
親愛的弟弟呀！
歸期却在你春宵夢裏！

採桑女

（見採桑者有感）

妹妹：替我把那隻竹籃拿過來，
我要到南山麓下採桑去；
　桑葉可以養着千萬條的蠶蟲，
蠶蟲會吐出許多的許多的蠶絲。
　蠶絲賣到了絲廠去，絲廠去，
可能把他織成一疋一疋的綾羅；

採桑女

蠶絲換得來的錢，
可以買得一套粗布的衣裳。

唵！綾羅，綾羅，綾羅，
穿着你的小姐太太舞女們，
他們在微笑，在歡歌，在跳舞，
那裏會知道養蠶者的苦勞。

養蠶者穿着粗布的衣裳，
正像賣魚者吃着魚腸；
唉！這樣畸形的世界，

不知何日纔會滅亡！

一九三一，五，五，於鷺江

十字街頭

無聊時彳亍在十字街頭，
百般樣式的人兒都可看見；
有的坐着汽車如疾風般的過去，
有的拉着黄包車氣喘喘的向前，
有的穿着輕綢軟紡的搖搖擺擺，
有的匆匆忙忙的不知爲着了什麽!?
那游藝園的音樂夾雜人叢聲裏，
那大菜館裏的香氣向鼻孔裏襲來；

十字街頭

那二邊一排一排的店舖裏，
堆滿了不少的金珠寶石，
　有錢的要什麼，就有什麼，
無錢的祇有在那兒嘆氣，垂涎；
穿着高跟鞋現着曲線美的女郎，
挽着她的愛人在我底面前示威；
　惟有遭着天災兵禍的流氓婆，
抱着她的兒女在路傍痛哭，啼饑，
　住在天堂裏的大人先生們，
他們的眼簾中那裏會看見這奇異的十字街頭。

似曾相識

我站在西湖進口的橋頭，
看見一位年輕的姑娘；
她那副雪白圓滿的臉龐兒，
隨着頻轉的秋波對着我微笑
她那羞答答的態度，
幾次曾啓着鮮紅的櫻唇；
爲因我有幾個流浪的朋友們在一起，

似曾相識

她想同我攀談而又羞止。
以前我似乎看過是嬌小玲瓏，
現在竟長得如許的玉立亭亭；
她那可愛的姿態，
儼如初出水的蓮花。

啊！這位年輕的姑娘，
不知她，究竟是誰家的女郎；
我對她似曾相識，似曾相識，
但是我於今總是記不分明。

就要離開

別了，朋友：這樣不良的環境，
這樣不良的環境裏我不能夠生存；
因爲到處是有陷井，
因爲到處是有深淵。

無底的陷井，深淵，
深過一望無邊的渺茫滄海；
墮落在其間的人們，

便沒有自拔的可能。

這樣不良的環境，我怕，朋友：
現在我立定了主意就要離開。
不再留戀，不再徘徊，
起程的日期已決定了明天。

那烏煙瘴氣裏的煙窟，
那皮肉市場中的娼寮；
別了，別了，朋友們呀！
你們，你們的足跡切不去到那兒。

啊！明天，快樂的明天，
明天就是我走上了自由之路的日子；
宦海波濤的猛浪，我亦不再見，
侯門齷齪的穢氣，我亦不再聞。

別了，朋友：這樣不良的環境，
這樣不良的環境裏我不能夠生存；
因爲到處是有陷井，
因爲到處是有深淵。

一九三二，七，廿七，寫於台江